Gija Kantscheli
Giya Kancheli

Statt eines Tangos
Instead of a Tango

für Violine, Violoncello
und Klavier

for violin, violoncello
and piano

edition sikorski 8792

Spieldauer / Duration: ca 4'

für g.k. von g.k.
to g.k. from g.k.

Statt eines Tangos
Instead of a Tango

für Violine, Violoncello und Klavier
for violin, violoncello and piano

(1996/2012)

Gija Kantscheli
Giya Kancheli
(*1935)

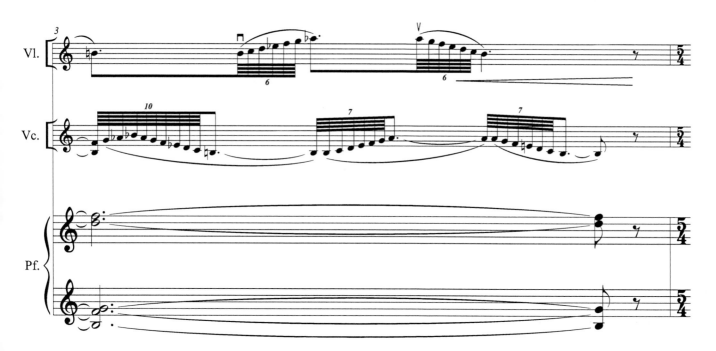

H.S. 8792

Gija Kantscheli
Giya Kancheli

Statt eines Tangos
Instead of a Tango

für Violine, Violoncello
und Klavier
for violin, violoncello
and piano

Violino

edition sikorski 8792

für g.k. von g.k.
to g.k. from g.k.

Statt eines Tangos
Instead of a Tango

für Violine, Violoncello und Klavier
for violin, violoncello and piano

(1996/2012)

Gija Kantscheli
Giya Kancheli
(*1935)

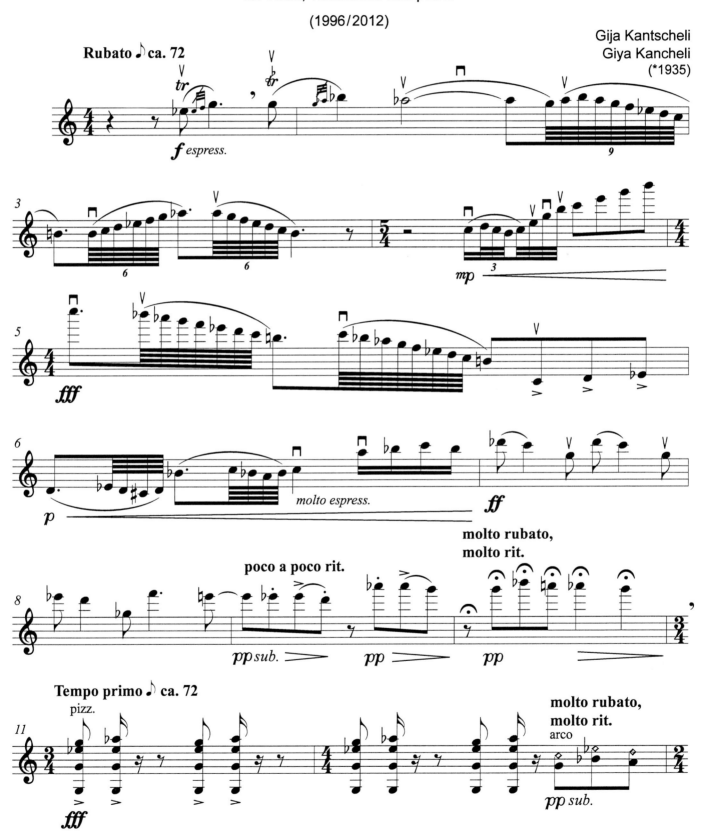

Gija Kantscheli
Giya Kancheli

Statt eines Tangos
Instead of a Tango

für Violine, Violoncello
und Klavier

for violin, violoncello
and piano

Violoncello

edition sikorski 8792

für g.k. von g.k.
to g.k. from g.k.

Statt eines Tangos
Instead of a Tango

für Violine, Violoncello und Klavier
for violin, violoncello and piano

(1996/2012)

Gija Kantscheli
Giya Kancheli
(*1935)

H.S. 8792

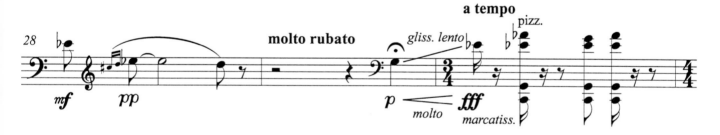

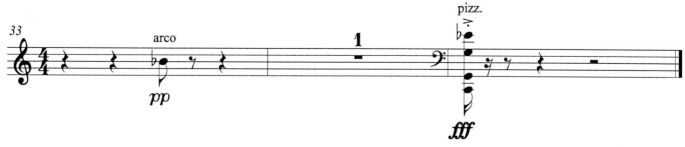

H.S. 8792

Spieldauer / Duration: ca 4'

Printed in Germany

Spieldauer / Duration: ca 4'

6

8

ISBN-13: 978-1-5400-8054-7   ISMN 979-0-003-04162-9

DISTRIBUTED BY
HAL LEONARD

50602263   8 88680 98801 2

9 790003 041629